trois petits cochons

RACONTÉ PAR PAUL-FRANÇOIS
D'APRÈS LA TRADITION

IMAGERIE DE GERDA

albums du père castor flammarion

ISBN 2-08-160022-6
ISSN 0246-2729

IL était une fois trois petits cochons
qui s'ennuyaient à la ferme.
Ils voulaient avoir leur maison à eux.
Mais chacun voulait la construire à son idée :
— Moi, je la voudrais comme ci.
— Moi, je la voudrais comme ça.
— Et moi, comme ci et comme ça.

Ils n'arrivaient pas à se mettre d'accord.
— Eh! bien, dit le plus jeune,
partons chacun de notre côté;
nous verrons qui de nous trois
fera la plus jolie maison.
— C'est une bonne idée! dirent les deux autres.
Et ils s'en allèrent chacun de leur côté.

Le premier petit cochon rencontra un homme
qui portait une botte de paille.
— Voulez-vous me vendre votre paille ?
demanda le petit cochon.
— Je veux bien, dit l'homme.
Le petit cochon acheta la paille
et se mit au travail.
Il fit une petite maison toute en paille :
les murs étaient en paille ;
le toit était en paille ;
la porte et la fenêtre étaient en paille.

Le petit cochon,
bien au chaud
dans sa maison de paille,
était très content.
Il pensait que,
dans tout le pays,
il n'y avait pas de maison
plus jolie que la sienne.

Le deuxième petit cochon rencontra une femme
qui portait un fagot d'épines.
— Voulez-vous me vendre vos épines ?
demanda le petit cochon.
— Je veux bien, dit la femme.
Le petit cochon acheta les épines
et se mit au travail.
Il fit une petite maison toute en épines :
les murs étaient en épines ;
le toit était en épines ;
la porte et la fenêtre étaient en épines.

Le petit cochon,
bien à l'abri
dans sa maison d'épines,
était très content.
Il pensait
que le loup
ne pourrait jamais
toucher à sa maison.

Le troisième petit cochon
rencontra un homme
qui menait un âne
chargé de briques.

— Voulez-vous me vendre vos briques ?
demanda le petit cochon.

— Je veux bien, dit l'homme.

Le petit cochon acheta les briques,
et il se mit à construire sa maison.

Il fit les murs en briques,
le toit en briques,
la fenêtre en briques,
la porte en bois.
C'était une maison très jolie,
très commode et très solide.
Le petit cochon était tout heureux
d'avoir si bien travaillé.

Quelques jours plus tard,
le loup vint frapper à la porte de la maison de paille.
— Pan ! pan ! pan !
Ouvre-moi ta maison de paille, petit cochon.
— Oh ! non, je n'ouvrirai pas.
— Alors je taperai du pied, je soufflerai, je cognerai.
Ta maison tombera par terre,
et je te mangerai.

— Tape si tu veux, souffle si tu veux, cogne si tu veux.
Je n'ouvrirai pas.
Le loup tapa du pied, il souffla, il cogna...
Et la maison de paille tomba par terre.
Mais le petit cochon se sauva.
Il courut de toutes ses forces jusqu'à la maison d'épines.
Son frère l'avait vu venir.
Vite, il le fit entrer et referma la porte au nez du loup.

— Pan ! pan ! pan ! fit le loup.
Ouvre-moi ta maison d'épines, petit cochon.
— Oh ! non, je n'ouvrirai pas.
— Alors je taperai du pied, je soufflerai, je cognerai.
Ta maison tombera par terre,
et je vous mangerai tous les deux.

— Tape si tu veux,
souffle si tu veux,
cogne si tu veux.
Je n'ouvrirai pas.
Le loup tapa du pied, il souffla, il cogna...
Et la maison d'épines tomba par terre.

Mais les deux petits cochons se sauvèrent.
Ils coururent de toutes leurs forces
jusqu'à la maison de briques.
Leur frère les avait vu venir.
Vite, il les fit entrer, referma la porte,
et cric-crac, donna deux tours de clé.
Il était temps : le loup arrivait.

— Pan ! pan ! pan ! fit-il.
Ouvre-moi ta maison de briques, petit cochon.
— Oh ! non, je n'ouvrirai pas.
— Alors je taperai du pied, je soufflerai, je cognerai.
Ta maison tombera par terre,
et je vous mangerai tous les trois.
— Tape si tu veux, souffle si tu veux, cogne si tu veux.
Je n'ouvrirai pas.

Le loup tapa du pied, il souffla, il cogna...
Et la maison de briques ne tomba pas.
Il tapa, il souffla, il cogna encore.
La maison de briques était solide,
et le petit cochon riait derrière la fenêtre.

— Ah ! c'est comme ça ! dit le loup.
Eh ! bien, je vais monter sur le toit.
Je passerai par la cheminée
et je vous mangerai tous les trois.
Le petit cochon riait toujours.

Il alla rajouter
un peu de bois sec dans la cheminée,
sous la grande marmite de soupe chaude.

Puis les trois petits cochons
se mirent à souffler sur le feu
pour faire bouillir la soupe.

Pendant ce temps,
le loup grimpait sur la maison.
Un peu après,
on l'entendit marcher sur le toit.
Enfin, sa queue apparut dans la cheminée,
au-dessus de la marmite.
Alors, le troisième petit cochon
enleva le couvercle de la marmite,
puis il attrapa la queue du loup.

— Faites comme moi, cria-t-il à ses frères.
Une, deux, trois... Tirez !...
Les trois petits cochons tirèrent ensemble.
Et plouf... voilà le loup dans la marmite !
Cuit ! Bouilli ! Fini le loup !
Les petits cochons ne voulurent plus se quitter.
Ils vécurent tous les trois dans la maison de briques,
et, s'ils ne sont pas morts, ils y sont encore.

Imprimerie Pollina, 85400 Luçon — 7 - 1986 — Dépôt légal : 4e trimestre 1964 — Flammarion et Cie, éditeur (N° 15220) — N° d'impression : 8331.